ÉCUEILS

MADAWASKAYENS

Albert Roy

Écueils madawaskayens

Poésie

Les éditions La Grande Marée

Les éditions La Grande Marée
C.P. 3126, succ. Bur. Chef
Tracadie-Sheila, Nouveau-Brunswick
E1X 1G5 Canada

Téléphone : 1-506-395-9436
Courriel : jouellet@nbnet.nb.ca
Site web : www.lagrandemaree.ca

Imprimé au Canada

Page couverture : DPG Communication, Caraquet, N.-B.
Impression : AGMV Marquis, Cap-Saint-Ignace, Québec
Dépôt légal : 1er trimestre, 2003, BNC, BNQ, CEA
Isbn : 2-921722-44-5

Du même auteur :

Écooole ! Maudite école…, 1998
Confidences sur un air country, 1996
La mer en écrits, 1995
La mare d'Oursi, 1993
Au mitan du Nord, 1991
Comme à la vraie cachette, 1990
Des Brayonneries,1985
La couleur des mots, 1983
Fouillis d'un Brayon, 1980
Poèmes venteux, 1979

Écueils madawaskayens

Quand j'ai vu la vallée du Madawaska enchâssée dans ses collines basses, j'en suis tombé amoureux. J'ai sauté dans le lit de la rivière Saint-Jean. Elle est devenue ma jugulaire. Ses localités, ma courtepointe et ses habitants se transformèrent en le plus moelleux des traversins.

PRÉFACE

La lunette du temps réfléchit parfois sur les gens et les choses de bien particulières nostalgies; mais associée à un romanichel des rêves éveillés, elle promet de reconstituer une fresque éloquente d'un patrimoine humain sur lequel nous devons cliquer souvent pour nous remémorer nos assises et valeurs. « Il faut vivre ses rêves et non rêver sa vie » déclarait Jacques Brel. Car les rêves inventent des barcaroles qui accostent aux écueils du subconscient pour réveiller les quais oisifs des marées basses.

Je recours d'emblée à l'album d'images de mon ami Albert Roy, pour affirmer avec lui ce besoin d'« un quai qui se trempe les orteils dans le brouillard d'un rêve » essentiel, hautement plus qu'un catéchisme de statistiques stériles qui pontifie la courbe ascendante de la productivité et encense la rationalisation des opérations financières, élevées au rang d'inique divinité crédible d'une planète démondialisée.

Que ces valeurs aient droit de cité, je ne m'en offusque pas; mais qu'elles enrégimentent et dictent mes rêves, je vitupère, m'insurge, proteste et dénonce.

Mon camarade, lui, le fait avec beaucoup plus d'élégance, de fantaisie et de raffinement.

Vous découvrirez dans les « Écueils madawaskayens » une acuité de la vigilance et du regard, une caresse du phrasé et une fidélité de la mémoire. Malgré les torrents, les remous, les courants vifs et les écueils, notre chantre du patrimoine sillonne en solitaire, mais capitaine aguerri, les mémoires du fleuve Saint-Jean, de ses généreux artères et remonte des filets gavés de souvenirs glorieux et uniques d'un coin de pays qui se doit de regrimper à la vigie, avant que la torpeur des mieux nantis ne chlorophorme les capteurs de rêves.

Ce bouilleur de cru divinatoire a sans doute concocté un pacte, avec le Sachem Grand Pierre, pour extraire de la sagesse millénaire des Malécites, un regard capable de palper l'humeur des trembles, des fougères et des bouleaux, et de cette « saveur immense d'innocence et d'envie de soûleries enfantines » autour d'un « arbre majestueux qui fait penser à tous ses jeux et enjeux que nous avons mis au rancart ».

Au fil aimanté du courant historico-fluvial d'une Saint-Jean myhtique à démonter le temps, Albert navigue habilement, en timonier inspiré, à travers des envolées lyriques surréalistes d'escapades solilesques et d'étourderies époustouféloquentes de soubresoliloques esteffrayaboboutantiliques, « pendant que la foire aux sentiments bat son trop plein de pensées frivoles ». Je continue de le dire avec ses mots - puisque les miens s'emballent - car « notre sans domicile fixe fait si bien avec ses contenus évanescents qu'une dame patronesse succombe à ses vapeurs illicites ».

Je vous souhaite de succomber aussi aux réminiscences de cette randonnée historic-ordi-nautique, et, d'être capté comme je le fus dans l'hospitalière embuscade des «Écueils madawaskayens » !

OLÉ ! C't'effrayable ! Amusez-vous donc !

Albert Belzile

Les écueils

Mon canot imaginaire
vogue sur les esprits
de la rivière Saint-Jean

chaque caillou
chaque branche morte
a gravé une strophe
une phrase
un mot
sur la coque de
mon fragile esquif

Ses écueils me livrent...

...l'histoire

Un pygargue survole
l'esprit de Grand Pierre

Dans ses cris stridents
j'entends les Malécites
remonter
la rivière Saint-Jean
Du Grand-Sault
à Connors

leurs feux jalonnent
mes veines

et dans une incantation
maléfique
les chants religieux
jaillissent
de tous les clochers
madawaskayens

mais
l'appel aux fidèles
n'a plus d'écho

la petite chapelle
de Connors
n'entonne plus entre ses murs
des chants graves
des chants rocailleux
des chants à
vocalises résineuses
des bûcherons
d'avant-hier

seule
une volée d'étourneaux
se moquent du vol
de l'oiseau majestueux

les villages vieillissent
comme s'approfondissent
les rides du visage
de grand-mère Nadeau de Saint-François

seule la ... nature
débride encore
mes élucubrations
ludiques
lyriques
et lubriques

...nature

Plus de maisons
plus de routes
plus de fumée
que la rivière et moi

un oiseau mouche
vient dévergonder
mon regard
l'eau m'hypnotise
je canote
dans le sillage
des grands vols
des migrants

je croise
les grands explorateurs
d'un temps à jamais révolu

la rivière n'était pas
une barrière

mais nous l'avons percée
de postes frontaliers
comme un chardon
dans un rosier

Clair

ouvre un pétale trompeur

sur des frères

et des sœurs enbannièrés

dans des étoiles ubuesques

la rivière était une voie

elle était la voix

de toute une nation

qui s'y baignait

qui s'y nourrissait

qui s'y assoupissait

qui s'y prosternait

le rite des saisons

était un leurre

aux chasseurs de légendes

la lune divaguait

et venait vivifier

le sang de ceux et celles

qui la vénéraient

les Malécites crurent

en leur immortalité

la rivière était trop attirante

la forêt trop aguichante

les collets des trappeurs

trop bien garnis

ils arrivèrent

ils arrivèrent

les ancêtres prirent

l'hymen

de l'éden madawaskayen

les Malécites offrirent
le gîte aux égarés
aux coureurs des bois
qui voulaient une route
toujours plus rapide

leur âme aux missionnaires
leurs femmes aux esseulés
et
leur terre
aux premiers défrichants

c'est pourquoi
il n'y a plus
de grands pins qui ornent
les cathédrales de la mer
il n'y a plus
il n'y a plus

il ne reste
que les cicatrices
domptant l'élan
de la Saint-Jean

les cerfs aujourd'hui
nuitamment
magasinent aux Etats-Unis

le balbuzard s'enfarge
dans les lignes électriques
le poisson porte
un masque et un tuba

le chasseur pulvérise
des images de gibier à la télé
le bûcheron ne comprend plus
sa hache électronique

le Malécite

s'y perd

dans ce casse-tête madawaskayen

il ne bruit que mon illusion éméchée

et mon canot qui s'ébroue

dans les rapides du ...

...viol de la violence (I)

Elle erre au-dedans
des gens sans cœur
elle court de par les artères
elle est vice
vérole
vindicative

qui a ouvert la porte à tous les V?

elle est vengeance
vampire
va-nu-pieds

qui a laissé échapper tous les V?

elle est véhémence
vénale
vénéneuse

elle laisse l'amour

tout nu

pantelant

vidé

je moribonde dans cette errance.

J'ai peur que mon canot coule

dans les V de ses rapides.

...viol (II)

Mon aviron a frappé
l'onde
et ma plume a battu
l'alphabet

elle devient fléau

il était temps
car les consonnes
et les voyelles
s'enlisaient dans
les hautes terres de la Saint-Jean

à battre la glaise de ses doigts
il en ressort toujours une volonté

mais

faut-il qu'il y ait violence

douleurs

peurs

Pour enfanter ... d'un récit

d'un tableau

d'une postérité

je m'allonge

dans une ...

...dérive lente

J'en profite

je flatte

l'encolure des courbes

voluptueuses

de la rivière

j'attache la proue du canot

aux ailes du 737

là-haut

tout là-haut

le goût du monde

s'encastre délicatement

dans les ruisseaux

capricieux des collines

l'espièglerie de l'herbe

enivre

encore mon aviron

pendant que les mains de Mona

recréent

le courant de la transcendance

libérale de ma pensée

ses doigts te remodèlent

la beauté suave

de la rosée léchant

la nudité

de la rivière déboisée

j'en chavire mon canot

il se meurt

d'amourer le fil

des vaguelettes du vent

et d'en faire ...

...des fragments

Mon trajet se méfie

se repaît

se vautre

se fausse

il devient un couple

d'oies blanches

qui songe déjà

à des horizons lointains

mon trajet se révolte

la pollution

des berges qui s'effritent

les flancs de la vallée

qui se désertifient

et l'eau

qui goûte la fange

mon trajet se stresse devant
les trésors d'une minorité

la pauvreté de la foule

mon trajet se liquéfie
dans l'enlaidissement
d'une vieillesse infantile
qui n'investit plus
la richesse de son savoir

à qui la faute
à qui la faute

des fragments de pleurs
d'images hachurées
de vidéo-clips bâclés
de poignées de mains brisées
me migrainent
les idées

il ne me reste
que mon trajet éveillé
pendant que
j'amarre mon canot
à …

...l'innocence perdue

Quelque part sur une berge
entre Baker-Brook
et Saint-Hilaire

le rivage étriqué
lessive
quelques histoires
dont le temps
a buriné les traits

loin de la cohue
loin des commérages
mercantiles
loin des verbiages
à saveur de bile
il jongle
avec des cailloux

il fabrique
un échiquier
sur lequel
Maxime Albert
s'alcoolise dans le sable

le Madawaska
traversait une pénurie
plus d'alcool
pas de petite bière
plus de ponge à guérir les grippes

la chaire des curés frémissait
sous un goupillon
qui n'aspergeait
que d'eau

les langues pendantes
ne se souvenaient plus
de la douceur d'un gin chaud
partagé au coin
d'une conversation

les deux côtés de la frontière

se tançaient de

bouteilles ... vides

le drapeau de la république fantoche

claquait l'appel

à la rébellion

le côté américain regardait

d'un air d'envie

l'alcool à friction

Maxime le sauveur
déjoua l'anathème

l'alcool en catimini
arriva de St-Pierre
et la Miquelon dansa
le quadrille dans le
haut et bas
Madawaska

les barrages de castor
sautèrent
et les bouteilles d'huile
du même nom
se vendirent
à coups de toux
plus ou moins bien imitées

les sermons se firent
plus virulents
les signes de la piastre
remplacèrent
ceux de la croix

les pieds s'enflammèrent
les violons swingnèrent
avec les accordéons
et tout le Madawaska
retrouva ses rires
et son insouciance

l'aigle du drapeau
se chicana de plus belle
avec l'étoile acadienne

la gendarmerie
ressortit ses chevaux
et les délateurs
reprirent le collier

Maxime devint une légende
il était le robin de celui qui boit

on tenta même
de proclamer que l'eau
de la Madawaska
de la Saint-Jean
de la Rivière Verte
de la Siegas
titrait à dix-huit virgule trois degrés

un chœur de pigeons sauvages
fut engagé
et le poète Belzile
écrivit l'ode

elle fut sur toutes les lèvres

ce fut le succès
de l'heure
Natasha
Roch
mon alinéa
Dubois
Charlebois
et moi

en firent un « hit »

« Maxime le renard

Maxime l'aigle

Maxime le sauveur

Maxime le courant d'air

Maxime président

Maxime honoris causa

Maxime négociateur

« Maxime ambassadeur »

parodiait le refrain

je tranche la cordelle

qui me retient

aux nuages

et je gouverne mon embarcation

à l'aide

de mon enfance retrouvée

j'arrive tout près

de . . .

...l'arbre à enfants

Et dans cette innocence

à saveur d'immense

envie de soûleries enfantines

je salue

un arbre majestueux

qui me fait penser

à tous ses jeux et enjeux

que nous avons mis

au rancart

comme un arbre à enfants

dont les branches seraient serties

d'éclats de rires

de mottes de neige

de cachettes à deux

de marelles charnues

comme notre vallée

comme un arbre à enfants
dont les branches ploieraient
sous les gamineries de courses folles
de bonhomies mal dégrossies
de glissades
d'eau
de glace
de patinage
sur des étangs
à peine miroités
dans une poudrerie
de tuques frémissantes

comme un arbre à enfants

dont les branches cascaderaient

de fruits défendus

d'Ève toute menue

dont les branches frimasseraient

de facéties littéraires…

...*facéties*

Nous n'étions pas
des soixante-huitards
mais nous étions
au front
nous avions pris
les armes de la parole

nous devenions
les maquisards
de la langue libératrice

les gendarmes avaient
une saveur anglaise

nos poings autour
de tous les joints
formaient
le frog power

j'aurais cru qu'en
lisant et relisant
Leblanc et Arsenault
Je retrouverais un semblant
de tous les ruisseaux
de nos vers
de nos cristaux
de nos chairs
ou mieux
un semblant d'aboiteau
pour endiguer le savoir-faire
d'un anglais en joual vert

notre corpus brisait
la langue d'une politique
beaucoup trop charnière

j'ai cru le combat terminé
j'ai cru le combat encalminé

NON !

car ils sont morts
de sarcasmes tous les traducteurs
qui vont ressusciter BACK

tout était ponctué
dans l'argile
de la Saint-Jean

que reste-t-il
des fauteurs
ceux-là même
qui étaient sur le fortin
de la langue

ils ne voulaient plus
d'un patron anglais
d'un manuel de science
en anglais PLEASE
de se faire servir
en anglais THANK YOU
d'une contravention
you can pay it or never

étions-nous seulement
des chiens de faïence

nous nous devions
de placer les mots
au garde-à-vous

qu'en est-il aujourd'hui

mon bedon s'arrondit
pendant que
ma langue s'effiloche
sur une pierre tombale

Prrrïicchht!
le pied d'un caillou chatouille
le ventre de mon canot

il est temps
que je me trouve...

...un quai

Un quai quelque part
en eau trouble
en rivière
en lac

un quai quelque part
un quai qui se trempe
les orteils dans
le brouillard d'un rêve

sur ce quai
un vendeur d'illusions
se mouille les doigts
dans des pensées vaporeuses

j'ai écrit vendeur
lisez ce poète
du silence
du tintamarre
de la laideur
de la perfection
de la tempête
du refuge

t'offre un quai
où tu pourras à ton tour
accoster
ton canot de désillusions
ce poète
se tient debout
sur ce tremplin
improvisé

il se fait annonceur public
il claironne à tout vent
qu'un grand bal
se prépare
qu'une grande foire
se tiendra bientôt
sur les plages
de la rivière aux embrassades

je me suis approché
il m'a prêté une cravate
et je me suis rendu à . . .

...un conventum de par la rivière

L'orgueil n'y avait pas sa place
ils étaient tous de blanc vêtus
la fête battait son plein

 les criailleries assourdissaient
 la moindre parole prêtée
 au silence

je me demandai
 ce que je faisais là
je ne sais même pas danser

de petits groupes

s'étaient formés

j'allai de l'un à l'autre

sans trop m'attarder

à ce qui s'y discutait

l'un cancanait de poissons

qui se faisaient

de plus en plus rares

d'autres de compagnes

qui se gavaient

de galantes mésaventures

un très gros confiait à un jeune rachitique

que grâce à El Nino

il ne se donnait plus

la peine de voler vers le sud

un quatuor

à l'écart des autres
s'entremêlait dans
des voltiges philosophiques

une belle sur le retour

se dandinait
d'un mâle à l'autre
elle vocalisait ses amours futiles

un solitaire

du bout de ses palmes
lui psalmodiait des vers

sur la pointe de mes absences

je me retirai

dans mon canot

d'ailleurs

que faisais-je chez ces goélands

ils ne pouvaient pas

me vendre un ...

... *capteur de rêves*

L'onde fuit sous les coups
de mon aviron
le temps se commue
en un immense flash back
ma proue comme une clé
remonte
la pendule grand-père

sur les pages blanches
de mon livre madawaskayen
un vieux Malécite
assis dans son canot ailé
slalome
entre les villages disséminés

il leur bâtit

des folies de bords de précipices

il les gargarise

de mots étranges

il leur apprend

des anecdotes à éclore

des étoiles à peine pubères

mon vieux Malécite
délaisse sa cavale
et s'asseoit sur une pierre

avec une racine
de tremble
il écrit sur le fil de la Saint-jean

que les rats musqués
sont heureux
que le papillon
avec son capteur de rêves
gourmande des mensonges
que que que

que le Malécite
malgré le mélange des sangs
reste le gisant du ciel
et de la terre

mon vieux Malécite
abandonne sa pierre
et chevauche
un bouleau renversé
par la cure des eaux

son regard n'est plus le même

la mélancolie que j'avais
de l'histoire
il la met
en bandoulière
puis la recouvre
d'un ruisseau à boire
d'une mousse à guérir
d'espoir
et de nuits
qui ne dravent plus

mon canot

comme une clé pénétrant

le chas de l'anguille

verrouille l'image

de mon vieux Malécite

il disparaît

dans la courbe

des fragments du temps

et la rivière Madawaska

comme un point d'éclatement

vient à ...

...la foire aux sentiments

Dans une grande baie

de la rivière

je les ai vus

ils arrivaient du monde entier

la grève canadienne

américaine croule

sous leurs vivats

ils sont tous là

les acrobates des coups de foudre
s'élancent vers le ciel

les équilibristes
des amours tristes
suspendent leur spleen
à un filin invisible

les jongleurs lancent
tellement de baisers
que l'on dirait
un feu d'artifice

les trapézistes des passions
tumultueuses
dessinent
des fusains
à brûler
les ardeurs
des amantes

le lanceur de couteaux

avec précision

balance des roses

à toutes les mal-mariées

la jolie jeune fille

qui projette

ses flammes

à plus de sept mètres

réchauffe

les yeux de tous les jeunes

en manque de fidélité

les guitaristes
choristes
violonistes
solistes

s'habillent
de propos affriolants

les poètes étourdissent
leur auditoire
avec des joutes
d'étreintes orageuses

un mot s'étrangle
avec le diktat
Interdit

il fut sauvé
par un marionnettiste
qui frelatait des liqueurs
aphrodisiaques

des prestidigitatrices
escamotent
des lèvres à tout plaire

certains kiosques
vendent
des souffles sulfureux

d'autres des rires aux larmes

pourtant
un stand fait tapis

un penseur
dans sa berceuse
tricote des mailles
d'éphèbes éphémères

d'amours fragilisés
de maladie à l'entrée
de la grisaille de la solitude
d'enfance tortueuse

mais ses paraboles
se perdent
dans la musique
d'un joueur d'orgue
de fourberies

pendant que
la foire aux sentiments
bat son trop plein
de pensées frivoles
l'amour embaume
de toutes ses pores

un itinérant
exhibe des pots Masson

remplis d'effluves
à la Roméo et Juliette
de scandales à la Don Juan

le marquis de Sade
n'a pas la cote

notre sans domicile fixe
fait si bien
avec ses contenus
évanescents

qu'une dame patronnesse

succombe à ses vapeurs illicites

un abbé

qui recherchait

des dessous un peu osés

célébra

le mariage dans l'heure

le maire Martin
clôtura
la foire aux sentiments
en promettant
qu'il enlèverait les taxes
sur tous les philtres d'amour
sur tous les parcomètres
de baisers prolongés
sur toutes les caresses furtives
et sur tous les regards alanguis

il reçut une ovation

de bisous

pendant que

je remettais mon canot

sur le pédoncule

de la rivière Iroquois

celle-ci

comme une pendeloque

oscille

aux pieds du …

...Saint-David

Il cligne de tous ses yeux

sous un soleil trop ardent

ce village

à la levure francophone

il louche

en penchant son clocher

vers les îlots canadiens

il endort les roucoulades

des gamins chassant

les canards

avec des arcs interstellaires

il voudrait retenir

encore une fois

les fumées qui s'érabilisent

au-dessus

de ses maisons

il laboure un hier

toujours présent

dans ses granges

les étincelles des descendants
ne sont plus qu'un
murmure anglophobisé

les jeux des noms francophones
se déroulent en stroboscopie
made in U.S.A.

même Saint-David (prononcer à l'américaine s.v.p.)
Saint David
se crispe dans son linceul
sous les accords de
Star spangled banner

mon canot
se met au garde-à-vous
et regarde défiler...

... *Saint-Basile*

Puis 1785

affleure la quille

de mon esquif

le Berceau

flambe de toutes ses souches

dans le couchant

les foins du grand platin des Cyr

attendent

l'alluvion crépusculaire

des derniers Malécites

un gravillon éclaté
marque la tombe
de Grand Pierre

ses restes n'y demeurent plus

son âme
ses aspirations
ses prières
sa progéniture
se sont dravées
dans les courants
des hautes eaux printanières

seule
la fougère se souvient
des fresques amérindiennes

parce qu'il est
la cour de mes écrits
Saint-Basile
s'agenouille auprès
de Saint-François
de Saint-David (forgive me Saint David)
de Saint-Léonard

pour entamer
un dernier chapelet
en forme de rivière

chaque grain
dans les virages timides
d'un soleil de novembre
nous fraternise
pendant que dans les cheminées
madawaskayennes couvent

les vantardises
les bêtises
les couardises
de sang mêlé
qui ne voulait pas trop
prier en anglais
chaque grain
dans un clin d'œil complice
d'outre-frontière
nous souligne
que pierre par pierre
ponceau par ponceau
de mots reliés à
des prises de langue
de fil de pêche
à des lignes transcontinentales

tous nos ancêtres

se bercèrent

dans l'enclave d'un village

épris

de grandes prodigalités

inter-raciales

je pousse

plus fort ma tendre embarcation

Rivière-Verte

me fait de grands

signes d'inconscience...

... Rivière-Verte

Dans nos vies bancales
aux instincts cathodiques
nous sommes toujours
à la recherche d'eau pure
d'oasis à chaleur
d'éternité

dans cette candeur
de descente livresque
je les vois planer
très haut dans un ciel bigarré
les rapaces volent au-dessus
d'une alléchante charogne

existe-t-il des charognes alléchantes ?

dans le plumage
d'une mue
pseudo-politique

je réponds ... oui

mais aux yeux du dompteur
de corbeaux
et de corneilles
nous ne pouvons pas
répondre
car personne n'a osé
leur demander

alors pourquoi les traiter
de rapaces

parce que
parce que
parce que
je pense à ceux et celles
qui détiennent le dieu dollar

tout le monde le prie
et peu le dénonce

as-tu eu faim
aujourd'hui
a-t-il fait
froid cet hiver
dans tes jouissances

quelques fois
une plainte dénonciatrice
se meurt aux portes
d'un jour incertain

je reste amer
car il n'y a plus
que le poète
qui joue au délateur

de ses rimes
de ses métamorphoses
il pointe l'air empuanti
par une Eraser suintante
de suavité

de ses silences
de ses points d'interrogation
il horripile
une Tourving qui déboise
à coups de nos incertitudes
tout en jetant
de la poudre à nos jeux

quand va-t-on sévir
contre tous les meurtriers
des arbres

légalisons
la loi de l'arbre

un bouleau pour un bouleau
un tremble pour un tremble
un chêne pour un chêne
un érable pour un érable
piqué s'il vous plaît

et un ... chausson
pour le Père Noël

y a-t-il
quelque part
un tueur de nuages
qui veut
m'accompagner

une débusqueuse
vient de briser
une frayère à truites

une multifonctionnelle
vient de barrager
un petit ruisseau
qui alimentait
la Gounamitz

un immense camion
hors-la-loi
ravine profondément
la paroi d'une colline

silence
le poète

secoue ton armure
à moineaux
et range
ton moulin à verbes

ne fais surtout pas revivre
le mouvement
peace and love

te verrais-tu
protester tout nu
contre la rapacité
du profit

Non !
je regarde la rivière verte
gronder
les flancs de mon embarcation
et j'enregistre
l'écho de mes exhortations
faisant fuir
les hirondelles

en signe de totale insoumission
ma proue devient
ma poupe
et je vogue
lugubrement
entre les seins
de la ...

... neuvaine de Sainte-Anne

les antennes paraboliques
s'agenouillent sur les balcons
elles prêchent
la nuisance
l'indolence
l'interférence
la tempérance de la culture
l'intolérance de tout
ce qui n'est pas moi
et l'impuissance

une heure de magie artificielle
dans une tempête de sons

pèlerinage incertain
d'une procession de viagra
pour des priants
en mal d'égo

ces lèche-satellites
s'incrustent
dans les barrières
du nintendo
ou d'une page web

je farcis
une outarde
une dinde
ou
un confessionnal
de mots sacrés
à la tête des parasites
venus du cyber-espace

j'immortalise

les bancs d'église

de fenêtres icônesques

de barres d'outils

de cartes virtuelles

et de bogues imaginaires

ou réels

je débranche le tout

je clique les portes

de ce temple

qui du haut de sa colline basse

ressemble à s'y méprendre

à un évêque

sémaphorisant les péchés

d'un courriel malveillant

Que sera

le prochain logiciel ?

doucement

tout

doucement

je renifle mon prochain périple

il a un drôle

de nom

le prochain village …

… *Siegas*

Comme le S
du gros serpent de métal
qui s'insurge
contre les rails astreignants
qui lui font suivre
une rivière saturée
de sous-entendus

ses wagons
sont archi-pleins
de bois d'œuvre
(pas encore une taxe)
d'automobiles
de nourriture

tout y passe

faudra-t-il

que j'y corde

mes attentes

mes épithètes

afin qu'ils voyagent

de par les cours d'eau?

à contre-courant

le train est plus rapide

que toutes les flèches

des girouettes du nord-ouest

dans ce déclin

d'une terre gorgée

de pesticides

ou de méga-porcheries

le train

me cache les quelques maisons

de ce village

quasifantomatique

le bruit
de mon aviron
courrouçant
l'âme de l'eau
accapare
l'attention de ma muse

la grinçante chanson
des roues métalliques
achève de s'abreuver
dans le couchant moribond

j'ai rendez-vous
avec un autre …

... Saint-Léonard

Le saint des seins
cache sous son blanc-seing
la Grande-Rivière

elle est le bracelet
le collier
la rencontre
de tous les bijoux
de la nature

parfois mal lunée
parfois entêtée

dans une euphorie
de mugissements symboliques
elle vole les perles de la pluie
et valse avec les conifères

elle rafraîchit

embellit

rajeunit

une Saint-Jean

un peu trop morcelée

elle me morigène

plus loin

plus loin

j'entends déjà

les grondements

du …

... Grand-Sault

Je la retrouve

dans tous les centres commerciaux

il ne manque

que son label

made in Japan

l'héroïne s'abâtardise

je n'écris plus

sur la musique du grand sault

car il ne chahute plus

le sablier des portages éculés

je ne louange même plus

les grands poissons argentés

venant baiser la lune

il ne reste

que des amours souffreteux

que des romans

dont le héros crache

une violence aride

il ne reste

que des prières fluides

qui s'en vont

sur la plante

des lendemains dégrisés

et

un barrage

brisant la lascivité

d'un courant flétri

dans sa nudité poétique

j'imite Malobiannah

à mon tour

avec mon canot imagé

je plonge

dans ce grand

c h u u u t t e.

Table des matières

Québec, Canada
2003